Made in the USA
Middletown, DE
17 October 2022

12986135R00073